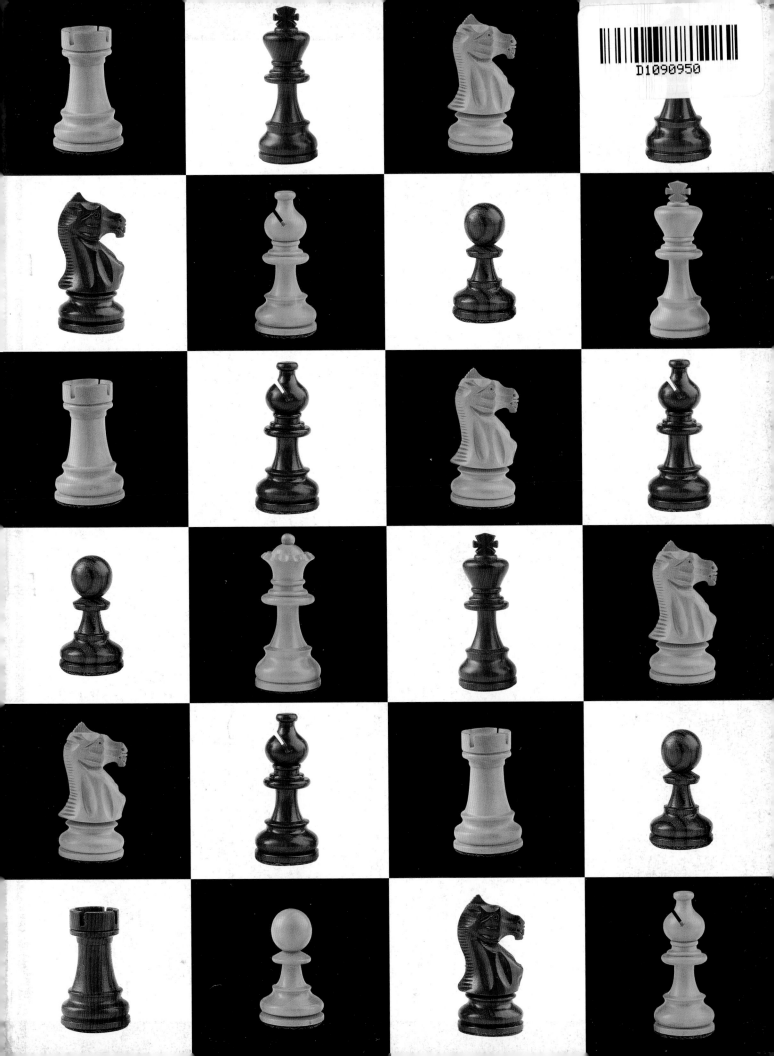

L'histoire des échecs

LES ÉCHECS ONT UNE LONGUE HISTOIRE qui remonte à plus de 1 500 ans. Les plus anciennes pièces découvertes datent du VIᵉ siècle, mais il est probable que le jeu soit encore plus ancien ; en fait, personne n'en est sûr. On pense que les échecs descendent d'un jeu indien appelé Chaturanga qui signifie « quatre côtés », car les armées indiennes étaient divisées en quatre parties : les chars, la cavalerie, les éléphants et les soldats à pied ou fantassins. Jeu de guerre par excellence, les échecs sont basés sur des scénarios d'anciennes batailles qui continuent d'être mis en pratique dans les parties que l'on joue de nos jours.

Les échecs chinois
Le jeu chinois *Hsiang Chi* (jeu des éléphants) est très proche des échecs et est toujours pratiqué aujourd'hui. On ne connaît pas l'origine de ce jeu.

L'arrivée à l'Ouest
Au Xᵉ siècle, le jeu d'échecs s'est répandu grâce à l'ouverture des marchés entre l'Extrême-Orient et la Perse. Les marchands arabes voyageant sur la fameuse « route de la soie » emportaient souvent avec eux un jeu d'échecs. C'est ainsi que les voyageurs et les marchands ont introduit le jeu en Europe.

Un intérêt croissant
Jusqu'au XIXᵉ siècle, les échecs étaient surtout réservés aux classes privilégiées de la société. Toutefois, depuis le XXᵉ siècle, le jeu s'est démocratisé.

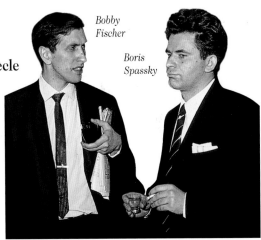

Bobby Fischer

Boris Spassky

Le match du XXᵉ siècle
Depuis 1948, les Russes détenaient le titre de maîtres incontestables des échecs. Mais en juillet 1972, l'Américain Bobby Fischer les détrôna en battant le champion du monde en titre Boris Spassky à Reykjavik, en Islande.

Jeunes champions
Les enfants, comme les adultes, peuvent jouer aux échecs. Si cela a toujours été vrai, ce n'est que depuis quelques années qu'a été réellement reconnue la grande agilité d'esprit aux échecs de certains jeunes enfants. Ici, Luke McShane, Champion du monde des moins de 10 ans, s'entraîne.

Sofia Polgar, l'une des fameuses sœurs Polgar

Les femmes prouvent leur force
Avant l'arrivée sur la scène des échecs de la famille hongroise Polgar, on pensait à tort que les femmes étaient incapables de jouer aux échecs. Mais les trois sœurs Polgar (Susan, Sofia et Judith) ont démontré le contraire. À l'âge de 15 ans, Judith est devenue la plus jeune des Grands Maîtres Internationaux, battant même le record détenu par l'incroyable Bobby Fischer.

Le jeu d'échecs

UN JEU D'ÉCHECS EST COMPOSÉ d'un total de 32 pièces (16 dans chaque camp) et d'un échiquier. L'échiquier est un champ de bataille plat, sans arbres ni rivières, collines, vallées ou constructions pour se cacher. Comme tout général d'armée, vous possédez un grand contrôle sur le déroulement de la bataille à venir. Les pièces représentent les deux camps qui se livrent bataille, chaque camp disposant du même nombre de pièces. Au début de la partie, les deux adversaires sont donc en parfaite égalité. C'est la façon dont vous déplacerez vos pièces qui déterminera votre victoire... ou votre défaite.

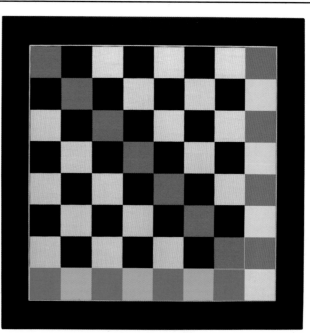

Les colonnes sont les lignes verticales. Ici, la colonne du bord est en bleu.

Les cases rouges forment une diagonale.

Les lignes horizontales sont les rangées. Ici, la première rangée est en vert.

Votre armée

Il existe de nombreuses formes et tailles de pièces d'échecs, les plus répandues étant les Staunton. Celles-ci sont utilisées dans les tournois, et nous les utiliserons aussi tout au long de ce guide. Les deux armées sont appelées « les pièces ». Chaque armée dispose d'un Roi, d'une Dame, de deux Fous, de deux Cavaliers, de deux Tours et de huit pions. (Remarque : certains joueurs d'échecs distinguent les pions des autres pièces fortes que sont le Roi, la Dame, les Tours, les Cavaliers et les Fous, bien que, techniquement, les pions soient aussi des pièces.)

Le champ de bataille

Il existe des termes spéciaux pour distinguer les lignes des cases horizontales ; on les appelle les « rangées. » L'échiquier comprend huit rangées. Les lignes verticales, de haut en bas, sont appelées « colonnes ». On en compte aussi huit. Enfin, les cases de même couleur allant dans une même direction sont appelées « diagonales ». L'échiquier comporte 26 diagonales.

Noir et blanc
Quelles que soient les couleurs des pièces (rouge et noir, rose et mauve), la couleur la plus claire est toujours appelée « blanc » et la couleur la plus foncée « noir ».

Le Roi
Le Roi est la plus grande pièce de l'échiquier mais pas la plus forte. Bien que pièce essentielle du jeu, il se déplace lentement d'une case à chaque fois. S'il est mis en « échec et mat », la partie se terminera.

La Dame
La Dame est la plus puissante du jeu. De sa case de départ, elle peut atteindre la moitié des cases de l'échiquier. Elle est à la fois rapide et très dangereuse.

Les deux Fous
Les Fous se reconnaissent à une fente distincte qui représente leur chapeau. Les Fous sont des pièces agiles et mobiles qui se déplacent le long des diagonales.

Les deux Cavaliers
Ces pièces uniques sont les seules à sauter par-dessus les autres pièces amies ou ennemies, et aussi les seules à ne pas suivre une ligne. Les Cavaliers vous aideront à réaliser votre plan d'attaque sur un échiquier souvent encombré.

Le Roi, la Dame, les Fous, les Cavaliers et les Tours sont placés sur la première rangée.

Les Tours sont placées dans les coins.

Les pions (huit par armée) sont placés devant les pièces fortes sur la deuxième rangée.

Position correcte de l'armée noire

Positionner les pièces

Vous devez commencer par placer l'échiquier entre vous et votre adversaire, ce dernier installé face à vous. Une case blanche doit toujours être située en coin et à la droite de chaque joueur. Vous placez ensuite les pièces correctement dans leur case. L'armée blanche et l'armée noire sont maintenant installées de chaque côté de l'échiquier, l'une face à l'autre. Le Roi et la Dame occupent les positions centrales, suivis des Fous, des Cavaliers et des Tours de chaque côté. Enfin, les pions sont placés sur la deuxième rangée devant les pièces principales.

La Dame blanche est toujours placée sur une case blanche et la Dame noire toujours sur une case noire.

Le Roi et la Dame de chaque armée font face à ceux de l'armée adverse.

N'oubliez pas ! Une case blanche à droite.

Les deux Tours

Ces deux pièces robustes qui se déplacent le long des colonnes et des rangées ressemblent à des tours de châteaux forts. Après la Dame, les Tours sont les pièces les plus puissantes du jeu, mais il faut un certain temps pour les mettre en action.

Les huit pions

Ils représentent les soldats à pied et sont au nombre de huit par armée. Vos pions entrent souvent les premiers dans la bataille. Ce sont les pièces les plus modestes quoique dotées d'un privilège spécial. Si un pion traverse complètement l'échiquier, il sera promu et se transformera en Dame ou autre pièce forte.

Le principe du jeu

LE JEU D'ÉCHECS consiste tout simplement à piéger le Roi adverse sans que celui-ci puisse se soustraire à la prise. On déclare alors : « échec et mat ». Plus facile à dire qu'à faire ! Au cours d'une partie d'échecs, les deux joueurs contrôlent chacun une armée et se livrent bataille. Cette bataille peut durer des heures ou se terminer brusquement. Il existe deux façons de jouer : le jeu positionnel consistant à prendre des positions sur l'échiquier avec calme, assurance, en capturant peu à peu les pièces adverses, ou le jeu d'attaque, plus agressif et rapide mais comprenant aussi plus de risques. Dans les deux cas, un bon coup bien réfléchi peut aboutir à remporter une victoire en quelques déplacements seulement.

Le développement et les prises

Le but du jeu est de mettre le Roi de votre adversaire « échec et mat ». Pour y parvenir, il faut affaiblir l'armée adverse en capturant ses pièces. De multiples attaques permettent de mettre en difficulté votre adversaire, devenu trop faible pour résister, et mettant ainsi en péril son Roi. Le jeu commence pour chacun des joueurs en s'assurant une bonne position au centre de l'échiquier. L'un d'entre eux parviendra progressivement à dominer la bataille en s'infiltrant sur le territoire ennemi, à capturer ses pièces ou à déployer une attaque décisive contre le Roi de son adversaire.

À l'attaque !

Le jeu d'échecs est l'un des plus anciens jeux de guerre du monde. Les pièces représentent les armées et l'échiquier le champ de bataille. Les deux armées se distinguent par deux couleurs : les Blancs et les Noirs. Comme à la guerre, elles avancent l'une vers l'autre pour se livrer bataille. Les stratégies d'attaque et de défense, les mises en place, sont calculées comme si les joueurs étaient de vrais généraux contrôlant leur champ de bataille.

L'échec et mat

L'échec et mat est donné par le joueur qui aura appliqué le meilleur plan d'attaque par diverses tactiques et stratégies au cours de la bataille. Le joueur mis en position d'échec et mat perd alors la partie. Ce n'est qu'en jouant régulièrement que l'on améliore son jeu et que l'on passe du côté des vainqueurs.

Le général des Blancs vient de réussir un bon coup.

Le général des Noirs doit trouver une stratégie pour se défendre.

Les Blancs ont capturé un Cavalier, un Fou et un pion.

Les Noirs ont capturé deux Cavaliers et un pion.

La notation

COMBIEN DE LANGUES parlez-vous ? Le français bien sûr, peut-être l'anglais, l'allemand, ou encore une autre langue. Savez-vous lire la musique, avec ses croches, ses dièses et ses portées ? Et bien les échecs ont également leur propre terminologie et notation, toutefois beaucoup plus faciles à assimiler. Nommer les cases et décrire le déplacement des pièces sur l'échiquier n'a rien de bien compliqué.

Les pièces

Sur les diagrammes, chaque pièce est représentée par un symbole. Ces symboles peuvent changer selon les sources mais, même si leur forme, leur taille ou leur couleur varient, ils sont généralement faciles à reconnaître. En notation, une lettre est attribuée à chaque pièce pour une identification rapide. Cette lettre est toujours écrite en majuscule.

Voici le symbole du Roi. En notation, un Roi est noté « R ». Remarquez que le symbole est de couleur rouge, même s'il représente une pièce blanche.

Voici le symbole de la Dame blanche. En notation, la Dame s'écrit « D ».

Voici le symbole du Fou. En notation, le Fou s'écrit « F ».

Un Cavalier s'écrit « C ».

Les pions, trop nombreux pour être notés individuellement, prennent la lettre de la case qu'ils occupent sur l'échiquier. Le pion n'a donc pas de lettre propre écrite en majuscule.

Une Tour s'écrit « T ».

Faits curieux

L'échiquier se lit comme une carte. En regardant cette carte, le club d'échecs se trouve en C1. Si vous savez lire une carte, vous saurez lire un échiquier.

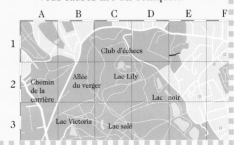

L'échiquier

L'échiquier est composé de 64 cases blanches et noires réparties en huit colonnes (verticales) et huit rangées (horizontales). Les huit colonnes sont désignées par a, b, c, d, e, f, g, h et les huit rangées par les chiffres 1, 2, 3, 4, 5, 6, 7, 8. L'intersection d'une colonne et d'une rangée détermine le nom de la case. La lettre écrite en minuscule est toujours citée en premier suivie par le chiffre.

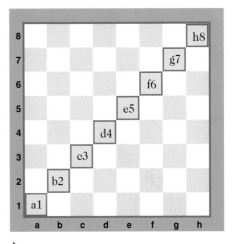

À vous de jouer

Regardez l'échiquier et notez où se trouve la Tour noire. Qu'en est-il du Cavalier et du Roi noirs, de la Dame, du pion et du Fou blancs ? La Dame blanche, par exemple, se trouve en c1. (Réponse page 43)

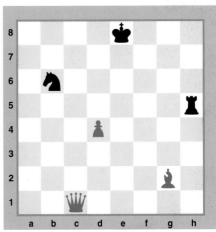

Les pions

SUR UN ÉCHIQUIER, les pièces sont classées par ordre de force et de valeur, la plus modeste étant le pion. On pense que l'origine du mot pion vient de l'ancien français paon qui signifiait « soldat d'infanterie ». Le pion est une pièce essentielle que beaucoup de joueurs considèrent comme l'âme des échecs. Les pions compensent leur modestie par leur nombre. Ce sont eux qui lancent l'assaut, contrôlent le territoire et assurent la sécurité du Roi.

Faits curieux

Dans le livre *De l'autre côté du miroir* de Lewis Carroll, plusieurs personnages sont empruntés au jeu d'échecs. Alice est un pion blanc traversant l'échiquier. Elle se transforme en Dame quand elle atteint l'autre extrémité.

Le jeu commence

Les joueurs commencent par déplacer un pion, de la même façon qu'un général déploie, sur un champ de bataille, son infanterie avant sa cavalerie. Pour ce premier déplacement, les pions ont le choix d'avancer de deux cases ou d'une seule. Ils n'avanceront ensuite que d'une seule case à chaque fois, et toujours sur la même colonne. Les pions ne peuvent jamais reculer.

Le pion noir a avancé d'une case.

Les pions sont alignés comme des soldats d'infanterie en début de bataille.

Le pion blanc peut avancer exceptionnellement de deux cases quand il se trouve sur sa case de départ.

La prise

Contrairement à toutes les autres pièces, les pions ne capturent pas en avançant. Bien qu'ils se déplacent vers l'avant, ils capturent en diagonale en avançant d'une case.

Ce pion se déplace en diagonale vers l'avant pour capturer le Cavalier.

Ce Cavalier a été capturé par le pion blanc qui prend sa place.

À vous de jouer

Regardez la position des pièces de ce jeu. Quelles sont les pièces noires que les pions blancs vont capturer ? (Réponse page 43)

La prise « en passant »

Il existe un cas particulier appelé prise « en passant » autorisant le pion à capturer un pion adverse. Cette prise ne s'applique qu'une seule et unique fois pendant la partie. Un pion qui avance de deux cases sur sa case de départ et se place à côté du pion ennemi peut être capturé par celui-ci. Le pion ennemi prend alors la place du pion capturé comme si ce dernier n'avait avancé que d'une seule case.

1 Ce pion blanc sur la case de départ avance de deux cases.

2 Il se place à côté d'un pion ennemi. Le pion blanc a donc dépassé la case attaquée par le pion noir, marquée ici en rouge.

3 Au tour suivant, le pion noir capture « en passant » le pion blanc en diagonale comme si celui-ci n'avait avancé que d'une seule case.

La promotion du pion

Les pions sont dotés de privilèges importants, ce qui les rend précieux et leur permet d'apporter un renfort au joueur en difficulté. Au début de la partie, le pion est la pièce la plus modeste du jeu, mais s'il réussit à atteindre la dernière rangée de l'échiquier, il y aura promotion du pion. Dans ce cas, le pion, au choix du joueur, se transformera immédiatement en une autre pièce de sa couleur (Dame, Tour, Fou ou Cavalier mais pas Roi). Les joueurs choisissent souvent de transformer leur pion en Dame.

Un pion blanc a atteint la dernière rangée de l'échiquier et se transforme en Dame.

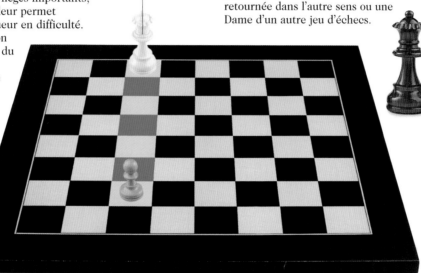

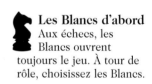 **Promotion d'un pion** Pour indiquer que votre pion a été promu, utiliser une Tour retournée dans l'autre sens ou une Dame d'un autre jeu d'échecs.

La Dame est la pièce la plus puissante de l'échiquier, mais vous pouvez aussi choisir de promouvoir votre pion au rang de Tour, de Fou ou de Cavalier.

Jouez au jeu des pions

Exercez-vous à ce jeu avec un ami en n'utilisant que des pions. Cela vous familiarisera avec le déplacement, la prise et la promotion des pions. La règle de la prise « en passant » est appliquée, alors prenez garde ! Le vainqueur est le premier à traverser l'échiquier et à promouvoir (transformer) son pion. Toutefois, si les Noirs transforment un pion juste après la promotion d'un pion blanc, le jeu est nul (étant donné que les Blancs commencent toujours la partie en premier, les deux couleurs doivent avoir le même nombre de déplacements). La partie est également nulle si les deux camps sont bloqués. Observez l'exemple de ce jeu.

Les Blancs d'abord Aux échecs, les Blancs ouvrent toujours le jeu. À tour de rôle, choisissez les Blancs.

1 Les Blancs commencent et avancent un pion de deux cases. Les Noirs imitent ce déplacement. Les deux pions sont maintenant bloqués.

2 Les Blancs avancent le second pion de deux cases. C'est une erreur ! Le pion sera capturé par les Noirs.

3 Les Blancs avancent encore le pion d'une case et lancent un défi au pion noir. Les Noirs vont-ils encore s'emparer de ce second pion ?

4 Bien joué ! Les Noirs avancent. Le pion noir ne peut désormais plus être arrêté. Le pion sera transformé en Dame et en deux coups les Noirs gagneront la partie.

Les Fous

AUTREFOIS, LES FOUS bénéficiaient d'une position privilégiée de conseiller du roi qui, bien souvent, demandait leur bénédiction avant de partir en bataille. Aux échecs, les deux Fous sont irremplaçables. De même que les fous de l'ancien temps, ce sont des pièces fortes qui travaillent aux mêmes objectifs, l'un avançant le long des diagonales blanches et l'autre le long des diagonales noires. À eux deux, ils sont capables de couvrir toutes les cases de l'échiquier.

Faits curieux

Jusqu'à la fin du XVe siècle, les Fous étaient représentés par des éléphants. En effet, il n'était pas rare de voir ces grands pachydermes sur les champs de bataille en Extrême et Moyen-Orient d'où le jeu d'échecs est originaire. Cette pièce vient d'un ancien jeu d'échecs birman.

La marche du Fou

Les Fous ne se déplacent qu'en diagonale sur les cases de même couleur que leur case de départ. Ils peuvent se déplacer en avant ou en arrière et sont particulièrement dangereux quand ils sont placés au centre de l'échiquier. Les Fous sont bloqués si une pièce se trouve sur leur chemin car ils ne peuvent pas la sauter.

Le Fou de cases blanches se déplace le long des diagonales blanches.

Le Fou de cases noires se déplace le long des diagonales noires.

Remarquez la façon dont le Fou situé au centre de l'échiquier a le contrôle de treize cases, alors que le Fou situé sur l'extrémité droite n'en contrôle que sept.

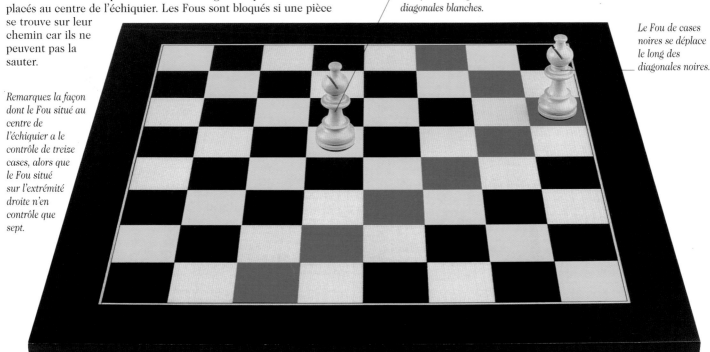

La prise

Les Fous capturent de la même façon qu'ils se déplacent : en diagonale. Le Fou de cases blanches ne capture que les pièces situées sur les cases blanches, et le Fou de cases noires ne capture que celles placées sur les cases noires. En raison de leur grande mobilité sur les longues diagonales, les Fous sont des pièces dangereuses.

Le Fou se déplace le long de la diagonale blanche pour capturer le Cavalier.

Le Cavalier est éliminé et le Fou prend sa place.

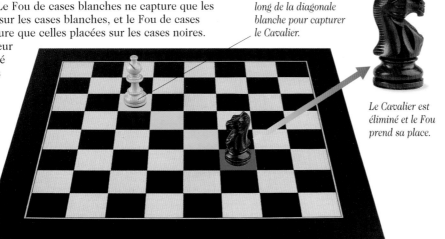

À vous de jouer

Le Fou blanc peut capturer toutes les pièces noires en huit déplacements. On considère que les pièces noires resteront à leur place. Voyez-vous comment y parvenir (deux solutions) ? (Réponse page 43)

L'échec

Lorsque le Roi est attaqué directement par une pièce ennemie, il est dit « en échec ». Si votre Roi est mis en échec, vous devrez, au prochain tour, le soustraire à cette attaque. Vous y parviendrez de trois façons : soit en déplaçant le Roi sur une case libre, soit en interposant une pièce entre le Roi et l'assaillant, soit en capturant la pièce de l'adversaire qui le menace.

Le Roi blanc est mis en échec par le Fou noir. Il peut s'échapper en se déplaçant d'une case vers la droite, en capturant le Fou avec sa Tour ou en bloquant l'attaque avec son Fou.

À vous de jouer

Regardez ces diagrammes. Quel mouvement devez-vous effectuer pour mettre votre adversaire échec et mat ? Vous jouez les Blancs et c'est à votre tour de jouer.
(Réponse page 43)

1 Les Blancs peuvent mater les Noirs en un seul coup. Le Roi noir ne peut pas se déplacer sur la rangée contrôlée par la Tour en a7. Quel est le coup gagnant ?

Échec et mat

On dit que le Roi est en « échec et mat », ou simplement « mat » ou maté, lorsqu'il est attaqué directement et qu'il ne peut plus bouger. Il n'y a plus de possibilités de défense ; le Roi sera capturé. Si cela se produit, la partie est terminée. C'est pour cette raison que chaque déplacement est calculé dans le but de faire échec et mat. Quelquefois, il suffit de deux déplacements pour mettre votre adversaire en échec et mat mais parfois la bataille peut durer très longtemps. Quoi qu'il en soit, mettre son adversaire en échec et mat est une véritable victoire et vous aurez gagné la bataille.

Les Grands Maîtres (champions internationaux d'échecs) savent reconnaître une situation désespérée et préfèrent abandonner en renversant leur Roi sur l'échiquier puis en serrant la main de leur adversaire avant d'être « matés ».

2 Ici, les Blancs peuvent mater leur adversaire en déplaçant le Fou en f3. Sur quelle case le Fou devra-t-il se placer ?

La Dame noire prépare un coup fatal.

Le Roi blanc est en échec et mat. Il ne peut pas se sauver et les Blancs ont perdu la partie.

3 Ici, le Roi noir est en position vulnérable et la Dame blanche prête à l'attaquer. Où doit-elle se placer ?

Le roque

IL EST IMPORTANT de bien comprendre la relation qu'entretient le Roi avec les autres pièces. Nous examinons ici un mouvement spécial, appelé le roque, qui assure la sécurité du Roi comme s'il se trouvait dans un vrai château. Une fois que vous aurez compris les forces d'attaque des pièces ennemies et que vous saurez utiliser efficacement vos pions pour protéger votre Roi, celui-ci sera à l'abri de graves dangers.

Faits curieux

Seuls les châteaux forts pouvaient assurer la sécurité constante du Roi. La manœuvre du roque imite ces situations réelles et se révèle très efficace contre les attaques.

Roi + Tour = roque

Les deux adversaires peuvent éloigner leur Roi de la bataille dans un coin de l'échiquier en effectuant une manœuvre défensive appelée le roque. Le roque permet de déplacer en un seul coup deux pièces, le Roi et une Tour de la même couleur. Le Roi franchit en premier deux cases contiguës vers la Tour qui saute par-dessus son Roi et se pose sur la case d'à côté. Le roque s'effectue toujours sur la première rangée. Pour pouvoir roquer, il faut que ni le Roi ni la Tour n'aient été déjà déplacés, que toutes les cases les séparant soient libres, que le Roi ne soit pas en échec et qu'il ne passe pas par une case attaquée.

Il y a deux cases libres entre le Roi et la Tour. Les Blancs sont prêts à roquer. Le Roi se déplace de deux cases vers la droite…

Il y a trois cases vides. Le Roi se déplace de deux cases vers la gauche…

… et la Tour saute par-dessus.

… et la Tour saute par-dessus.

Le petit roque

Le petit roque se fait à droite lorsque le Roi roque de son côté, ou à l'aile-Roi. On appelle la Tour qui saute par-dessus le Roi la Tour-Roi. Si le Cavalier et le Fou ont quitté leur case de départ, le Roi se déplace de deux cases vers la Tour-Roi qui saute par-dessus son Roi.

Le grand roque

Si les pièces du côté de la Dame ont quitté leur place (c'est-à-dire la Dame elle-même, le Fou et le Cavalier), laissant libres les trois cases séparant le Roi de la Tour, vous pouvez effectuer un roque à l'aile-Dame (à gauche). Dans ce cas, on parle de grand roque.

Cas où le roque est interdit

Vous ne pouvez pas roquer dans les cas suivants : si le Roi doit passer par une case qui est attaquée par les pièces adverses, si en roquant vous placez votre Roi en échec, si votre Roi est déjà en échec, et si le Roi et la Tour ont déjà été déplacés.

Traversée d'une case attaquée

Les cases semblent libres pour roquer mais si les Blancs roquent, le Roi devra traverser une case attaquée par la Dame noire, ce qui n'est pas permis.

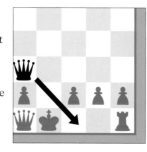

En échec

Dans cette position, le Roi est prêt à roquer. Mais le Fou noir l'en empêche. Si les Blancs roquent, le Roi sera mis en échec, ce qui est interdit.

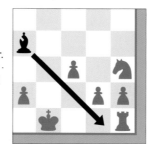

Roi déroqué

Le Roi blanc aimerait pouvoir roquer, ce qui résoudrait ses problèmes. Mais il devra se contenter de se déplacer ou de bloquer l'attaque avec sa Dame.

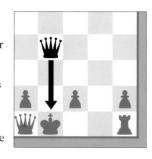

3. Déplacer chaque pièce une fois

Ainsi que nous l'avons vu, l'ouverture consiste à placer vos pièces en bonne position de préférence au centre, prêtes à l'action. Vos attaques viendront plus tard. Si vous déplacez la même pièce plusieurs fois pour attaquer, vous la retrouverez bientôt seule face à toute une armée. Déplacez plutôt chaque pièce une seule fois, chacune à leur tour.

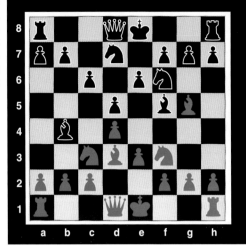

4. Défense et prise

Prenez garde de bien placer vos pièces. Si votre adversaire capture une pièce, faites en sorte de reprendre immédiatement une de ses pièces. Il est conseillé de garder les deux armées en équilibre. Ici, les Noirs ont fait une erreur. En déplaçant le Cavalier en e4, ils laissent aux Blancs toute liberté pour capturer la Dame.

5. Le roque du Roi

Placez votre Roi en sécurité en roquant le plus tôt possible dans le jeu. Le roque place votre Roi en coin d'échiquier et l'éloigne des dangers de la bataille. Il est aussi protégé par son armée de pions. Ici, le jeu se poursuit comme si les Noirs n'avaient pas perdu leur Dame. Cette photo illustre une bonne position d'ouverture.

Apprenez en observant
En observant de vraies parties d'échecs, vous commencerez à développer votre agilité mentale.

Le Roi et la Tour roquent.

Les pions jouent le rôle de gardes du corps, protégeant le Roi de toute attaque.

À vous de jouer

Avant de vous lancer dans votre première partie d'échecs, appliquez bien les nouvelles règles d'ouverture. Voici un petit test. Votre déplacement est-il judicieux ? Choisissez le meilleur déplacement de ces trois options, sachant que vous jouez les Blancs.
(Réponse page 43)

1 Choisissez un coup :
a. Pion en e4
b. Pion en h4
c. Cavalier en h3

2 Choisissez un coup :
a. Fou en b5
b. Cavalier en a3
c. Pion en d3

3 Choisissez un coup :
a. Cavalier en f3
b. Pion en e5
c. Cavalier en c3

Les pièces majeures

SI VOUS AVEZ SUIVI LES CINQ RÈGLES d'ouverture, vous aurez déjà un bon départ. Mais jusqu'à présent, nous n'avons pas encore fait entrer les pièces principales en jeu : la Dame et les Tours. Elles représentent la brigade lourde et sont extrêmement importantes dans le déroulement du jeu. On peut les comparer à deux tanks et un lance-roquettes. Pourvu de ces puissantes pièces, vous infligerez de grosses pertes à l'armée de votre adversaire. Vous devez cependant utiliser ces pièces avec précaution, en élaborant un plan d'action suffisamment judicieux pour les placer en position de force, sans pour autant les mettre en danger.

La brigade lourde

En début de partie et contrairement à la brigade légère (pions, Cavaliers et Fous), la brigade lourde (Dame et Tours) ne doit pas être placée au centre de l'échiquier. Vous devez donc les déployer plus tard dans le jeu, assurant ainsi une exposition minimale et une efficacité maximale d'attaque.

Les Dames des deux armées avancent d'une case pour se protéger.

Les Tours sont libres de se déplacer le long des colonnes ouvertes ou semi-ouvertes.

Exposition minimale

Vos pièces majeures sont importantes pour remporter la victoire. Vous devez donc les utiliser avec la plus grande précaution. La Dame et les Tours doivent attaquer l'ennemi d'une position de retrait d'où elles seront bien protégées. En déplaçant la Dame de sa case de départ, vous libérez ainsi des cases, donnant une plus grande liberté de mouvement aux deux Tours.

Colonnes ouvertes et semi-ouvertes

Les pions doivent être déplacés pour permettre aux Tours d'entrer en jeu. Une colonne ouverte signifie qu'il n'y a plus de pions ou qu'elle est vide de tout pion. Une colonne semi-ouverte est une colonne où il ne reste que les pions d'un des deux camps.

Puissance maximale

Dans cette phase du jeu, votre priorité est de dégager les Tours (puissance maximale). Une bonne tactique est de roquer, puisque vous protégerez le Roi et libérerez la Tour. Et si vous pouvez ensuite déplacer vos Tours vers une colonne ouverte ou semi-ouverte, c'est encore mieux ! Il est préférable d'avoir les deux Tours et la Dame en position forte et stratégique mais un peu en retrait.

La Tour blanche se déplace sur une colonne semi-ouverte.

Cette colonne est ouverte. Au tour suivant, l'autre Tour blanche pourra s'y déplacer.

Une ouverture

Nous allons maintenant suivre le cours d'une ouverture et indiquer comment les Tours et la Dame entrent en jeu. Mettez en pratique sur l'échiquier la leçon d'exposition minimale et de puissance maximale.

1.	e4	c5
2.	Cf3	d6
3.	Fb5+	Fd7
4.	Fxd7+	Cxd7
5.	0-0	Cgf6

1 Il y a eu cinq coups. Les deux camps ont éliminé chacun un Fou et avancé leur brigade légère. L'objectif est d'assurer une bonne position centrale.

7.	...	cxd4

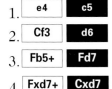

Notation interrompue

« ... » indique que les Blancs se sont déjà déplacés. Par exemple, à l'étape 2, le septième coup des Blancs était d4 (voir ci-dessus). Le septième déplacement des Noirs est précédé de « ... » pour indiquer que les Blancs ont déjà joué.

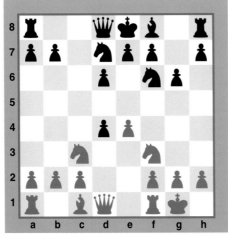

3 Les Noirs ont agi comme prévu et ont capturé le pion blanc. Les Blancs vont bien sûr réagir en s'emparant aussitôt du pion noir avec leur Cavalier en f3. La colonne c noire et la colonne d blanche sont maintenant ouvertes.

10.	De2	Tc8
11.	Tad1	

Les brigades légères sont en bonne position centrale et les brigades lourdes ont été bien déployées par les deux camps.

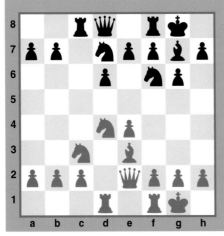

5 Les Blancs déplacent leur Dame de la case de départ. Les Blancs et les Noirs mettent leurs Tours sur des colonnes semi-ouvertes.

6.	Cc3	g6
7.	d4	

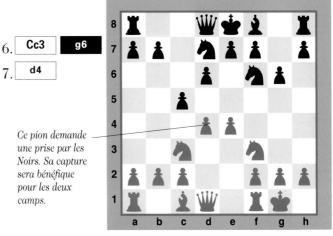

Ce pion demande une prise par les Noirs. Sa capture sera bénéfique pour les deux camps.

2 Les Blancs proposent un échange aux Noirs. Les Noirs capturent le pion blanc en d4 et, en échange, les Blancs s'emparent du pion avec leur Cavalier en f3. C'est une bonne idée de libérer les colonnes et d'élargir l'espace d'action des Tours.

8.	Cxd4	Fg7
9.	Fe3	0-0

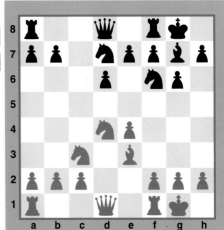

Le Roi blanc est retranché dans un coin.

4 Les deux joueurs déplacent ensuite leurs Fous des cases de départ, conformément aux cinq règles d'ouverture, pour libérer les Tours. Les Blancs exercent tôt dans le jeu leur droit de roque.

11.	...	a6
12.	f4	Dc7

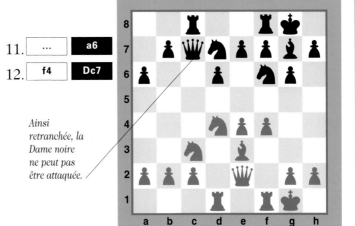

Ainsi retranchée, la Dame noire ne peut pas être attaquée.

6 La Dame noire quitte sa case de départ et se place en position bien protégée à l'arrière. Les deux adversaires ont bien dirigé leur armée et ont respecté les règles d'ouverture. Personne ne domine le jeu.

Les techniques essentielles

DERRIÈRE CHAQUE musicien, acteur ou footballeur se cache un travail acharné de préparation et de pratique pour devenir maître dans son art. Être champion d'échecs nécessite autant de persévérance et votre réussite repose sur la façon dont vous maîtriserez les techniques de base, d'attaque et de défense. Nous entrons maintenant dans une partie importante appelée le « milieu du jeu ». Commençons donc par la présentation de la valeur des pièces de chaque armée.

Le système de valeur

Il existe un système de valeur que vous devez connaître si vous voulez devenir bon joueur d'échecs. Le pion vaut un point, le Cavalier et le Fou trois points, les Tours cinq points et la Dame neuf points. Bien évidemment, votre Roi, pièce essentielle du jeu, est hors de prix.

1   3   3   5   9

Prise et valeur

La prise demande réflexion et précision. Avant de jouer, étudiez minutieusement toutes les prises possibles et évaluez-les. Les meilleures prises sont naturellement celles qui rapportent le plus de points. Sur l'échiquier de gauche, les Blancs ont le choix entre deux prises : Cxc8 et Dxd6. Cxc8 représente la meilleure prise car la Dame noire vaut neuf points. Capturer le Fou ne rapporterait que trois points. Il faut donc apprendre à capturer les pièces fortes de l'ennemi tout en protégeant les vôtres. C'est un premier pas vers la victoire.

La prise de la Dame noire est excellente pour les Blancs : elle vaut neuf points.

Capturer le Fou noir rapporte trois points aux Blancs mais la Dame vaut beaucoup plus.

Ici, le Fou blanc capture la Tour noire mais il est capturé par la Dame noire. Les Blancs ont gagné deux points, car la Tour vaut deux points de plus que le Fou.

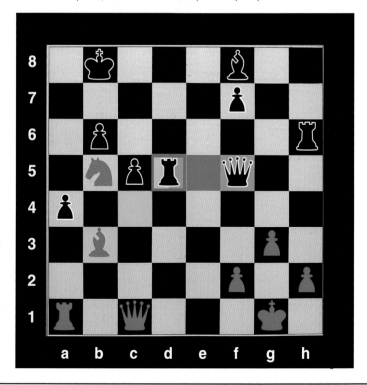

La Dame blanche peut capturer le Fou noir mais, avant chaque prise, il faut bien réfléchir. Y a-t-il une autre pièce de valeur plus importante à prendre ?

L'échange

Lors d'une partie d'échecs, beaucoup de pièces de valeur se trouvent hors d'atteinte. Il arrive souvent qu'une capture d'une pièce ennemie entraîne, dans la foulée, la perte de l'une de vos pièces. C'est ce que l'on appelle l'échange. Avant de déplacer une pièce, anticipez qui, de vous ou de votre adversaire, bénéficiera le plus de cette prise et reprise. Pour cela, calculez, au moyen du système de valeur, combien de points ont été déjà échangés. Par exemple, si votre Fou capture un pion et est à son tour capturé, vous aurez perdu des points. En déduisant un point pour le pion des trois points du Fou, vous vous apercevez que votre adversaire a gagné deux points. Simple exercice de calcul !

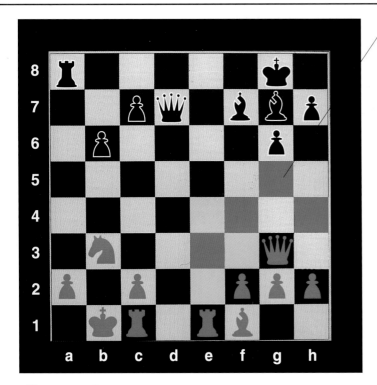

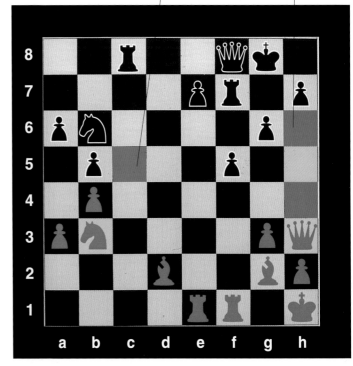

Les cases bleues peuvent être occupées sans danger par les Blancs. Les autres cases sont toutes attaquées par les Noirs.

En c5, le Cavalier est protégé par le pion blanc. Il peut être capturé par la Tour noire en c8, mais celle-ci sera à son tour capturée par le pion blanc en b4 et les Noirs y perdront au change.

Dh6 est aussi une case protégée. Les noirs peuvent toujours jouer Dxh6 mais ils seront capturés au prochain tour par un déplacement en Fxh6, ce qui équilibrera les points.

Coup sûr

Déplacer les pièces sur l'échiquier est aussi délicat que de traverser un champ de mines, à la différence qu'ici, toutes les mines sont visibles. À vous de bien analyser le jeu pour déterminer les cases attaquées. Avant de déplacer une pièce, assurez-vous que la case que vous visez est sûre. Sur le diagramme ci-dessus, seules quelques cases sont entièrement sûres pour les Blancs.

Liste mentale
Avant de déplacer une pièce, passez en revue les questions suivantes :
Quel est votre meilleur déplacement/meilleure prise ?
En déplaçant une pièce, mettez-vous une autre pièce en danger ?
Avez-vous une pièce sur le point d'être capturée ?
Si oui, que pouvez-vous faire pour la défendre ?

Coup assez sûr

Plus vous avancez en territoire ennemi, plus les cases sont protégées par les pièces adverses. Vous pouvez avancer vos pièces en position stratégique, à la condition toutefois que les cases en question soient suffisamment défendues par votre armée. La technique des coups assez sûrs est donc importante. Elle consiste à déplacer une pièce sur une case attaquée par une pièce ennemie, laquelle peut être capturée au prochain tour sans que vous perdiez de points.

À vous de jouer

Regardez chacun de ces diagrammes et déterminez le meilleur déplacement. (Réponse page 43)

1 Combien de pièces les Blancs peuvent-ils capturer ? Notez chacune d'elles et classez-les selon le nombre de points qu'elles vous rapportent. Quelle est la meilleure prise ?

2 Quelles pièces les Blancs peuvent-ils capturer ? Il y a quatre possibilités. Quelle est la meilleure prise, considérant que les Noirs vont reprendre une de vos pièces ?

3 Notez les neuf déplacements qui sont entièrement sûrs pour les Blancs (sur des cases que l'ennemi n'attaque pas du tout). Si vous trouvez les neuf, félicitations !

4 Les Blancs peuvent effectuer les déplacements suivants : Td4, Fxc7, Td7 et Fe5. Quels déplacements sont sûrs ou assez sûrs ?

L'attaque et la défense

VOTRE TECHNIQUE REPOSE SUR DES ATTAQUES PRÉCISES ET CALCULÉES, sans oublier que la moitié des autres déplacements sont réalisés par votre adversaire. Vous devez donc bien connaître les techniques de défense. Les échecs sont comme une danse inversée où l'on marche sur les pieds de son partenaire sans jamais se faire marcher sur les siens.

Dans les temps

Lors des tournois, les joueurs ont deux ou trois minutes pour jouer. Ils sont chronométrés à l'aide d'une pendule spéciale à deux cadrans. Lorsqu'un joueur a fini de jouer, il appuie sur le bouton situé à côté de lui. Cela déclenche le chronomètre de l'autre cadran pour la durée de jeu impartie à l'autre joueur.

Les menaces

Une menace simple est une attaque directe sur une pièce ennemie mineure ou majeure et non défendue. Menacer votre adversaire l'oblige à se protéger et donc à bouger ses pièces pour vous laisser le champ libre, en position forte. Si vos menaces se traduisent par une prise, votre armée n'en sera que plus forte, mais n'oubliez pas que toutes vos menaces doivent être sûres ou assez sûres.

Une menace efficace

Sur cet échiquier (à droite), les Blancs avancent le Fou pour menacer le Cavalier noir en d6. Ce déplacement est assez sûr car même si le Fou est capturé par la Dame noire, les Blancs peuvent reprendre avec leur Cavalier en d3 et les Noirs perdront leur Dame. Les Noirs doivent donc envisager un autre moyen de défense.

Fb4 est un déplacement assez sûr, ce qui constitue une menace efficace contre le Cavalier noir en d6.

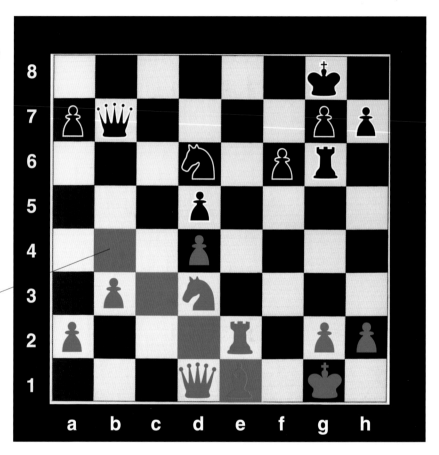

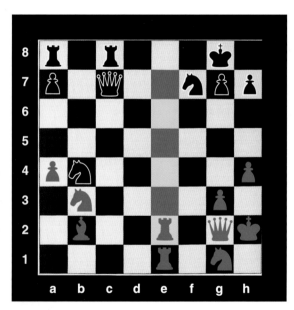

Travail d'équipe des Tours

Le déplacement de la Tour en e7 représente une menace contre la Dame noire en c7. Bien sûr, la Dame noire peut éliminer la Tour blanche mais les Blancs captureront alors la Dame avec la seconde Tour blanche en e1. Voilà un bon coup avec les deux Tours.

À vous de jouer

Améliorez votre agilité mentale en menaçant les pièces ennemies. Vous jouez les Blancs et c'est à votre tour. (Réponse page 43)

1 Mobilisez vos troupes pour l'attaque. Tous vos déplacements doivent être sûrs ou assez sûrs, ne l'oubliez pas.

2 Ici, six menaces sont possibles. Les voyez-vous ?

Les techniques de défense

Vous n'êtes pas le seul à effectuer de bons coups et à menacer l'ennemi. Votre adversaire en fait de même ! Pour éviter les menaces, il existe cinq méthodes de défense, toutes identiques dans le principe à celles utilisées lors d'une agression physique. Regardez les cinq diagrammes ci-dessous. La Tour noire en f7 attaque la Tour blanche en f3. Chaque diagramme illustre une technique de défense différente.

Tf4
Tf6
Tg3

Coups défensifs

1. S'éloigner .... Fuyez
2. Capturer l'ennemi .... Combattez
3. Protéger vos pièces .... Demandez de l'aide
4. Bloquer l'attaque .... Utilisez un bouclier
5. Contre-attaquer .... Détournez l'attention

1. S'éloigner

Sur ce schéma, les Blancs peuvent réduire la menace de la Tour noire en f7 en déplaçant la Tour menacée sur l'une des trois cases indiquées.

2. Capturer l'ennemi

La Tour blanche peut capturer la Tour noire mais elle sera capturée au tour suivant. Cela équilibrera les prises.

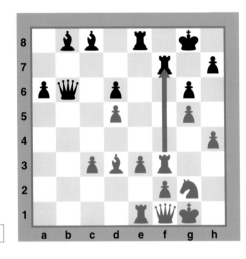

Txf7

3. Protéger vos pièces

Les Blancs peuvent défendre la Tour en déplaçant le Fou en e2. Si la Tour noire poursuit sa menace, les Blancs pourront capturer une autre pièce dans la foulée.

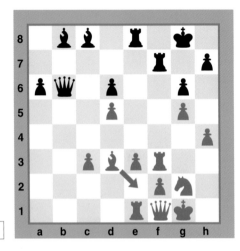

Fe2

4. Bloquer l'attaque

Ici, les Blancs choisissent de déplacer un Cavalier devant la Tour menacée pour parer l'attaque de la Tour noire.

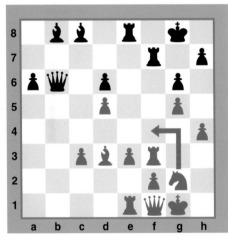

Cf4

5. Contre-attaquer

Ici, l'autre Tour blanche se déplace pour menacer la Dame noire. Cette tactique permet aux Blancs de détourner l'attention. Une contre-attaque doit toujours entraîner la prise d'une pièce de même valeur ou de valeur supérieure.

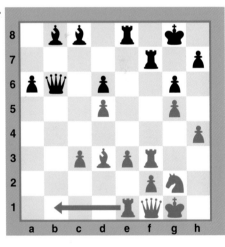

Tb1

À vous de jouer

Regardez les diagrammes et déterminez tous les coups possibles que les Blancs peuvent effectuer. (Réponse page 43)

1 La Dame noire menace le Cavalier en h3. Quels coups défensifs les Blancs peuvent-ils jouer pour contrer l'attaque ?

2 Le Fou noir menace la Dame blanche en e3. Quels coups les Blancs peuvent-ils jouer pour éviter de perdre leur Dame ?

Les tactiques

VOTRE SUCCÈS REPOSE sur les techniques que vous avez déjà apprises. Vous gagnerez de plus en plus souvent si vous savez appliquer des tactiques de jeu qui font ce qu'on appelle dans le jargon des échecs de « bons coups ». À habileté et force égales, pratiquer ces tactiques favorise le joueur qui les utilisera le mieux. On les appelle la fourchette, le clouage et l'attaque à la découverte.

Fourchette par les Cavaliers

Les meilleures attaques en fourchette sont réalisées avec les Cavaliers, pouvant menacer jusqu'à huit pièces à la fois. Sur ce diagramme, le Cavalier se déplace en c7 et attaque trois pièces simultanément.

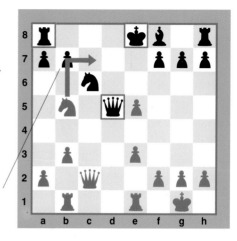

En se déplaçant en c7, ce Cavalier forme une fourchette dévastatrice, attaquant le Roi noir en e8, la Tour en a8 et la Dame en d5.

La fourchette

La manœuvre de l'attaque double en fourchette consiste à menacer, avec une pièce, deux ou plusieurs pièces adverses en même temps. Pour que cette attaque réussisse, il faut que la pièce attaquante soit protégée. C'est un bon coup qui met votre adversaire en difficulté et entraîne presque toujours la perte d'une des pièces adverses menacées.

Le pion blanc effectue une attaque en fourchette sur les deux Tours noires. L'une des Tours pourra s'échapper au tour suivant mais l'autre sera éliminée du jeu.

L'attaque à la découverte

Après avoir torturé votre adversaire avec des attaques en fourchette et des clouages, vous pouvez aussi lancer des attaques à la découverte. Sur l'échiquier, rien n'est caché ; toutes les pièces et toutes les cases sont visibles. La seule chose que vous ne puissiez voir est comment va se dérouler le jeu et ce que pense votre adversaire. L'attaque à la découverte consiste à effectuer une attaque avec une pièce mineure, voire à la sacrifier, dans le but de s'emparer, au tour suivant, d'une pièce adverse de plus grande valeur. Regardez l'exemple suivant, tiré d'une partie d'échecs.

Le pion noir capture le Fou blanc.

1 Les deux camps se sont affrontés sans relâche. À présent, les Blancs décident de placer un Cavalier en d2. Ignorant ce déplacement, les Noirs poursuivent leur plan initial consistant à capturer le Fou blanc en b5 avec un pion.

La Tour blanche capture la Dame noire.

2 Le plan réel des Blancs est alors révélé. La Tour blanche en a1 capture la Dame noire. L'attaque à la découverte donne un sérieux avantage aux Blancs.

Le clouage

Le clouage est un autre bon coup. Cette manœuvre consiste à attaquer une première pièce adverse qui cache une seconde pièce plus importante (Roi ou Dame). On dit que la première pièce menacée est clouée, puisque votre adversaire ne peut la déplacer sans provoquer l'échec ou perdre une pièce forte. Si le clouage réussit, il vous donnera un avantage décisif dans l'évolution du jeu.

Clouage du Cavalier par le Fou noir

Le Cavalier ne peut pas bouger sans mettre son Roi en échec.

Un pion protège le Cavalier.

Clouage du pion

Ici, le pion noir cloué en d5 ne peut pas bouger et les Blancs le captureront au prochain tour avec le Fou en b3. Les Blancs perdront non seulement le pion, mais le Roi noir sera également mis en échec.

Sous pression

Ici, la pièce clouée (le Cavalier noir en c6) est bien défendue par un Fou en b7. Mais les Blancs attaquent à nouveau le Cavalier avec un pion, se déplaçant de d4 en d5. Les Noirs vont certainement perdre leur Cavalier.

Un coup fatal

Une attaque à la découverte peut se révéler fatale, surtout si les pièces attaquantes avancent simultanément. Observez la situation ci-contre. Le pion noir avance et les Noirs mettent le Roi blanc en échec avec une attaque à la découverte du Fou. Les Blancs ont échappé à l'échec mais ne peuvent pas réagir à la menace du pion sur la Dame. Au prochain tour, les Blancs perdront leur Dame.

Les Blancs doivent bouger pour se dégager de la situation d'échec.

Au tour suivant, le pion noir capturera la Dame blanche.

La fin de partie

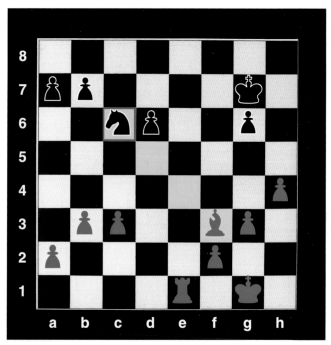

NOUS AVONS VU COMMENT une partie d'échecs peut se terminer en quelques coups par échec et mat, mais la plupart d'entre elles ne finiront pas ainsi. En fait, même si votre adversaire a plusieurs pièces d'avance, vous pourrez retarder pendant longtemps le mat. On appelle une « finale » la fin d'une partie d'échecs avec seulement quelques pièces sur l'échiquier. Voici quelques techniques pour réussir une bonne finale.

Une stratégie de fin de partie

Une bonne fin de partie est le signe d'un fin stratège. Pour réussir à gagner une partie avec seulement quelques pièces, il vous faudra adopter une stratégie complètement différente. En voici les trois règles d'or.

Le pion noir en a7 a été éliminé.

1 Observez cette situation de fin de partie. Les Blancs ont plus de pièces que leur adversaire mais ils n'arrivent pas à mettre le Roi noir en situation de mat rapide, d'autant plus que les deux camps ont chacun perdu leur Dame. Au tour suivant, les Blancs proposent un échange. Le Fou blanc prend le Cavalier en c6, mais le Fou est à son tour capturé par le pion noir en b7. Suivez sur votre échiquier la notation ci-dessous et découvrez la stratégie des Blancs.

1.	Fxc6	bxc6
2.	Te7+	Rf6
3.	Txa7	d5
4.	a4	

2 Les Blancs ont effectué un échange, évincé un pion noir et, grâce au déplacement en a4, vont réaliser la promotion du pion en Dame. Sous peu, les Blancs mettront le Roi noir en échec et mat.

Règles d'or

1. Éliminer
Si vous avez davantage de pièces, utilisez-les pour supprimer celles de votre adversaire.

2. Échanger
Échangez vos pièces avec celles de votre adversaire jusqu'à ce qu'il n'ait pratiquement plus rien, à l'exception de son Roi et de quelques pions. Vous pourrez alors porter un coup fatal au camp adverse avec vos pièces restantes.

3. La promotion du pion
Quand un pion atteint la huitième rangée, il peut se transformer en Dame, permettant souvent de mater le Roi adverse avec la puissante Dame.

À vous de jouer

Regardez ces deux diagrammes. En suivant les trois règles d'or (éliminer, échanger, promotion), cherchez quelles sont les meilleures solutions pour cette fin de partie. (Réponse page 43)

1 Quel est le meilleur coup pour les Blancs ? Cg6+ ou Fd7 ?

2 La Tour blanche en d2 doit-elle capturer la Tour noire en d6 et être à son tour capturée ? Ou, au contraire, les Blancs doivent-ils décider de déplacer leur Tour et la mettre ainsi hors de danger ?

Mat avec Roi + 2 Tours

| 1. | ... | **Tg4** |

Examinons à présent le mat avec seulement quelques pièces. La «tondeuse» est une stratégie redoutable. Supposons qu'une armée dispose de deux Tours et d'un Roi contre un Roi ennemi. En attaquant avec les deux Tours, vous devriez rapidement mater votre adversaire.

1 Positionnez vos pièces comme indiqué et notez chaque déplacement en vous servant du code de notation que vous avez appris. Dans cette situation, il est difficile de mettre l'adversaire échec et mat avec le Roi au centre de l'échiquier. Il faut donc que les Noirs refoulent le Roi sur les dernières rangées.

| 2. | **Rc3** | **Th7** |
| 3. | **Rd3** | **Th3+** |

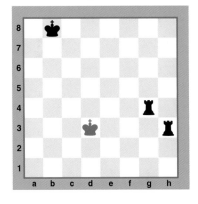

2 Les Noirs refoulent lentement le Roi blanc vers les dernières rangées de l'échiquier. Il va bientôt se trouver bloqué sur les trois dernières rangées et devra s'y retrancher encore davantage.

| 4. | **Re2** | **Tg2+** |
| 5. | **Rf1** | |

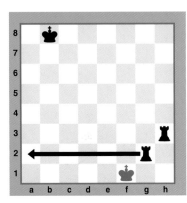

3 La fuite du Roi est lente et le voici bloqué sur la dernière rangée, mais il menace de prendre la Tour noire. Au jeu suivant, la Tour se placera au bord de l'échiquier, loin des attaques du Roi.

5.	...	**Ta2**
6.	**Rg1**	**Tb3**
7.	**Rf1**	**Tb1++**

4 La Tour noire se déplace en b1 pour déclarer l'échec et mat. Les Tours ont travaillé ensemble avec un maximum d'efficacité. Étudiez attentivement cet échec et mat. Dans ce cas, on parle de «tondeuse» car l'action des Tours est similaire au tracé d'une tondeuse à gazon.

Autres cas d'échec et mat

Si vous vous retrouvez avec seulement deux ou trois pièces telles qu'un Roi + Dame, ou d'un Roi + Tour, il est toujours possible de mater votre adversaire, à condition toutefois de vous servir de votre Roi.

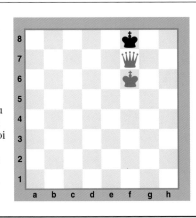

Mat avec Roi + Dame

Ici, le Roi blanc protège sa Dame et participe activement à l'attaque en l'aidant à refouler le Roi ennemi en direction des dernières rangées. Cela permet à la Dame de frapper le coup fatal.

Mat avec Roi + 1 Tour

Le Roi + Tour travaillent encore plus étroitement que le Roi + Dame, et ils finissent par amener le Roi ennemi en situation de mat.

La partie nulle

UNE PARTIE D'ÉCHECS ne se termine pas toujours par un camp victorieux. Dans ce cas, on parle de partie nulle. Selon les règles du jeu, la partie sera nulle lorsque, trop peu de pièces restant dans chaque camp, les adversaires ne pourront pas matérialiser le mat et s'entendront donc pour déclarer la partie nulle. Mais il existe encore trois autres cas de parties nulles : le pat, l'échec perpétuel et l'application de la règle des 50 coups (lorsque l'un des joueurs ne peut forcer le mat en 50 coups).

Le pat

La position du pat est intéressante. Elle intervient quand le joueur attaqué est dans l'impossibilité de bouger ses pièces qui sont soit bloquées soit déjà éliminées, et n'a d'autre solution que de déplacer son Roi, pas encore en échec mais qui le sera s'il le déplace. C'est le pat. Ici, le Roi noir ne peut se déplacer sans se mettre en échec. N'étant pas encore en échec, la partie est déclarée nulle par pat.

Faits curieux

Lors d'un championnat de 1993 opposant le champion en titre, le Russe Garry Kasparov, au Britannique Nigel Short, Kasparov s'est trouvé au bord de la défaite lors des deux parties. Pour éviter le désastre et pour conserver son titre, il a chaque fois trouvé une superbe défense en obtenant par deux fois la nullité de la partie.

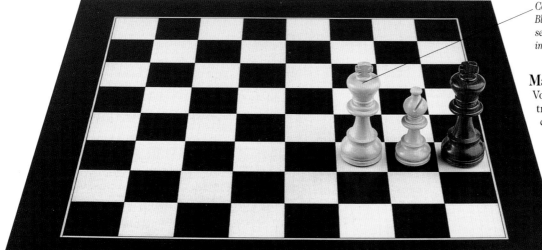

Ceci est la meilleure position pour les Blancs. Mettre mat le Roi noir avec seulement un Roi et un Fou blancs est impossible.

Matériel insuffisant

Vous pouvez vous trouver avec trop peu de pièces pour continuer la partie et mettre échec et mat votre adversaire. Il faut donc déclarer la partie nulle s'il n'y a que deux Rois sur l'échiquier ou si le Roi est accompagné seulement d'un Fou ou d'un Cavalier. Dans ces cas, personne ne gagne et la partie se termine par un nul.

Forcer un pat

Il est parfois préférable de forcer une situation de nullité par pat plutôt que de perdre la partie. Ici, les Blancs, bientôt échec et mat, trouvent un moyen pour provoquer une situation de nul.

La Tour blanche se déplace et place le Roi noir en échec. Les Noirs sont forcés de prendre la Tour avec leur Dame.

Au tour suivant, les pièces blanches sont toutes bloquées. Le Roi blanc ne peut pas se mettre en échec. C'est un pat.

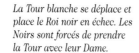

À vous de jouer

Il faut bien réfléchir à cette situation. Les Blancs sont dans une situation désespérée car les Noirs vont les mater. Ils seront donc satisfaits par une partie nulle. Quel coup les Blancs doivent-ils jouer avec la Tour en g6 pour assurer la partie nulle ? Conseil : éliminez la Dame. (Réponse page 43)

L'échec perpétuel

Quand une position d'échec se répète trois fois, la partie est déclarée nulle. Si l'un des joueurs, souvent en infériorité, met de façon ininterrompue son adversaire en échec sans possibilité de mat, on parle d'échec perpétuel. Regardez bien ces déplacements.

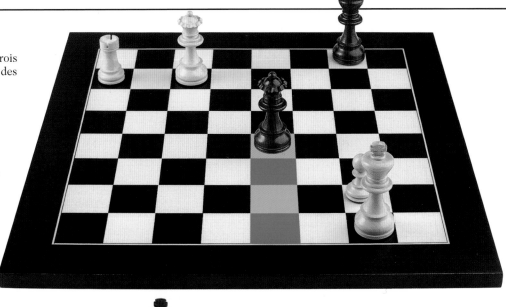

1 Les Noirs sont en mauvaise posture. Les Blancs ont plus de points et disposent de deux pièces d'attaque fortes. Les Noirs décident de tenter un nul par échec perpétuel. La Dame noire se déplace de façon à placer le Roi blanc en échec.

Le Roi blanc est obligé de se placer sur la seule case protégée.

2 Les Blancs n'ont pas d'autre solution que de déplacer leur Roi à côté du pion. Mais il n'est pas encore en sécurité.

Le troisième cas de nullité

Les règles du jeu énoncent un troisième cas de nullité, lorsque aucun pion n'a bougé et qu'aucune prise n'a eu lieu pendant 50 coups. Comme vous l'imaginez, ceci n'arrive pas très fréquemment.

3 La Dame se déplace en diagonale et met le Roi en échec. Le Roi blanc doit retourner sur sa case d'origine. La Dame noire retourne aussi en première position d'échec et place à nouveau le Roi en échec. Cette situation peut se répéter indéfiniment, et le jeu est déclaré nul par échec perpétuel.

Devenir un bon joueur

Ces enfants jouent lors d'une rencontre entre clubs d'échecs.

TOUT LE MONDE PEUT JOUER AUX ÉCHECS et c'est à vous de choisir le joueur que vous deviendrez. Que vous préfériez les parties entre amis ou participer à des tournois, un club d'échecs vous garantira un bon démarrage. Plus vous jouerez dans un club, sur Internet, contre un ordinateur ou dans des tournois, plus vous serez bon joueur. Alors sortez votre échiquier et lancez-vous !

Les clubs d'échecs

Les clubs d'échecs vous permettent de vous exercer et de pratiquer vos techniques contre de nombreux adversaires tout en recevant les conseils d'un entraîneur qualifié. Certains clubs invitent même des joueurs célèbres à des conférences pour que ceux-ci fassent part de leurs talents aux joueurs moins expérimentés. De nombreux joueurs de haut niveau ont d'ailleurs commencé dans un club d'échecs. En pratiquant le jeu d'échecs à l'école, au collège ou au lycée, vous pourrez peut-être participer à des matchs et des championnats scolaires. Vous développerez ainsi votre agilité d'esprit en jouant contre beaucoup de joueurs de différents niveaux.

Les tournois

Lorsque vous participez à un tournoi d'échecs, vous jouez dans un environnement plus formel. Vous n'aurez pas d'aide de vos entraîneurs et tous vos coups seront chronométrés. Sur cette photo (à gauche), les deux jeunes garçons jouent pour remporter un des prix d'un des plus grands tournois d'échecs du monde, le UK Chess Challenge (Championnat des Échecs pour les moins de 18 ans au Royaume-Uni).

Les Olympiades des Sports Mentaux

Ce sont les jeux Olympiques des adeptes des jeux d'agilité mentale. De nombreux jeux entrent en lice, comme le backgammon, le bridge, les jeux de mémoire et les tests de lecture rapide. Les échecs forment une partie importante de cette compétition. Les Olympiades se tiennent chaque année à Londres, en Angleterre, au mois de novembre, et elles sont ouvertes à tous. Des médailles d'or, d'argent et de bronze sont décernées aux meilleurs joueurs dans chaque catégorie.

Les championnats du monde

Le Russe Garry Kasparov est considéré comme le meilleur joueur du monde. Il a défendu son titre de champion du monde lors de nombreux championnats. La FIDE (Fédération Internationale des Échecs) organise un championnat mondial annuel, mais les échecs sont tellement populaires que d'autres compétitions mondiales ont été créées, comme le championnat du monde junior pour les jeunes de 6 à 18 ans. Le jeu d'échecs sur Internet se développe aussi énormément et, pour la première fois, un championnat du monde scolaire sur Internet a été créé par Kasparov en 2000.

Kasparov et Karpov, photographiés ici, se sont disputés le titre mondial pendant huit ans.

Tout défi lancé au champion du monde est joué dans les conditions les plus strictes, en présence d'un arbitre.

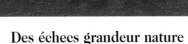

Ces personnes, habillées en figures d'échecs, représentent chaque pièce d'un échiquier géant.

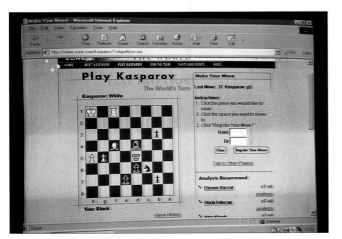

Des échecs grandeur nature

Les échecs ne se jouent pas toujours nécessairement à l'intérieur. Certaines personnes aiment jouer à l'extérieur, dans un parc ou sur un échiquier géant. Sur cette photographie, des personnes jouent une partie d'échecs à taille humaine. Pour cela, elles représentent chacune des pièces de l'échiquier, offrant ainsi un spectacle original. Vous pouvez jouer dans un parc, un train, en voiture, à l'extérieur, à l'intérieur… bref, pratiquement n'importe où !

Vous pouvez définir le niveau que vous souhaitez en fonction de votre habileté.

Jeux d'échecs électroniques

Les jeux d'échecs électroniques existent en de nombreux formats et tailles. Ces petits ordinateurs ne sont pas très chers et peuvent se révéler de redoutables adversaires.

Les échecs sur Internet

Internet est un excellent moyen pour jouer aux échecs. Il existe de nombreux sites où vous affronterez des adversaires aux quatre coins de la planète. La page Internet ci-dessus provient du site « World against Kasparov » sur lequel tous les joueurs mondiaux se sont rassemblés pour voter chaque coup contre Kasparov. Le jeu s'est terminé par la victoire de Kasparov.

Vous tapez votre déplacement en utilisant la notation et l'ordinateur répond de la même façon. Mais c'est à vous de déplacez toutes les pièces sur l'échiquier, même celles de votre adversaire électronique.

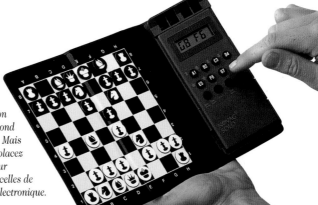

Glossaire

Ce glossaire reprend les principaux termes et expressions employés aux échecs.

Armée
L'ensemble des pièces d'un jeu d'échecs.

Attaque à la découverte
L'attaque à la découverte consiste à effectuer une action sur une pièce adverse en menaçant indirectement une autre pièce d'une plus grande valeur.

Attaque double ou fourchette
La manœuvre de l'attaque double ou fourchette consiste à menacer avec une de vos pièces deux ou plusieurs pièces adverses en même temps.

Brigade légère
Il s'agit des Cavaliers, des Fous et des pions.

Brigade lourde
On appelle ainsi la Dame et les Tours entrant en action.

Capture
On parle de capture quand une pièce s'empare d'une pièce adverse. La pièce qui capture prend toujours la place de celle qu'elle vient d'éliminer.

Cavalier
La seule pièce du jeu qui saute par-dessus les autres pièces amies ou ennemies. Le cavalier saute en L.

Clouage
Une manœuvre consistant à attaquer une première pièce adverse qui en cache une seconde beaucoup plus importante (Roi ou

Dame).
On dit que la première pièce menacée est clouée, puisque votre adversaire ne peut pas la déplacer sans se mettre en échec ou perdre une de ses pièces fortes.

Colonne
Les cases de l'échiquier qui sont placées verticalement.

Colonne ouverte
Une colonne qui n'a pas de pions. Elle est donc vide.

Colonne semi-ouverte
Une colonne où l'un des camps n'a plus de pions.

Dame
La pièce la plus puissante de l'échiquier. La Dame se déplace dans tous les sens sur une ou plusieurs cases.

Déplacement
Quand une pièce bouge sur l'échiquier. On dit aussi coup.

Déplacement interdit
Déplacement qui n'est pas admis dans les règles du jeu d'échecs.

Diagonales
Lignes qui joignent les coins opposés de l'échiquier.

Diagramme
Un schéma de l'échiquier représentant les pièces en jeu à un certain moment de la partie.

Échange
Quand l'adversaire prend une pièce, l'échange est la prise au prochain tour d'une pièce ennemie.

Échec
Une attaque directe mais pas fatale sur le Roi.

Échec et mat
Une attaque fatale sur le Roi qui ne peut plus bouger. Le jeu se termine.

Échec perpétuel
Quand une position d'échec se répète de façon ininterrompue sans possibilités de mat.

En passant
La prise en passant peut s'appliquer à n'importe quel moment du jeu. Un pion avance de deux pas de sa case de départ et se place à côté du pion ennemi. Le pion ennemi, capturant en diagonale, prend alors la place du pion capturé comme si ce dernier n'avait avancé que d'une seule case.

FIDE
Fédération Internationale des Échecs fondée en 1924 par le français Pierre Vincent. La FIDE comprend cent cinquante pays adhérents et son rôle est de promouvoir les échecs en organisant des championnats et des tournois internationaux.

Finale
La dernière phase de la partie lorsque peu de pièces restent en jeu.

Fou
Le Fou est une pièce qui se déplace en diagonale uniquement. Chaque armée possède deux Fous. Le Fou blanc se déplace donc sur les diagonales blanches, le Fou noir sur les noires.

Grand Maître International
Titre décerné à vie par la FIDE. Il faut posséder le titre de Maître International avant d'obtenir celui de Grand Maître International.

Maître International
Titre décernée par la FIDE après avoir réalisé 3 performances (ou normes) dans des tournois internationaux spécifiques. Le titre suprême est celui de Grand Maître qui s'obtient de la même façon. Les titres sont décernés à vie.

Marche
La façon dont se déplacent toutes les pièces du jeu.

Mater
Verbe qualifiant l'action de l'échec et mat.

Matériel
Toutes les pièces de l'échiquier.

Milieu du jeu
La phase de milieu du jeu entre l'ouverture et la fin de partie.

Notation
Une méthode précise pour noter chaque déplacement.

Ouverture
La première phase du jeu, quand toutes les pièces sont prêtes à se livrer bataille.

Partie nulle
Une partie qui ne peut être gagnée ni par l'un ni par l'autre des deux camps.

Pat
Quand le Roi est la seule pièce à pouvoir se déplacer et par cette action se met en position d'échec. Les autres pièces ne peuvent plus se déplacer.

Pendules
Dans les compétitions et les tournois, on utilise des pendules spéciales à deux cadrans qui chronomètrent le temps de jeu imparti à chaque joueur.

Pièce
Une figure de l'ensemble de l'armée qui peut être le Roi, la Dame, un Fou, une Tour, un Cavalier ou un pion.

Pièces amies
Les pièces du jeu de la même couleur.

Pièces ennemies
Les pièces du jeu de l'adversaire de l'autre couleur.

Pion
La pièce représentant le soldat d'infanterie de l'armée du Roi. Chaque armée a huit pions.

Prise
Un autre terme indiquant la capture d'une pièce.

Promotion
Quand un pion atteint la dernière rangée de l'échiquier et se transforme en une autre pièce de sa couleur. En général, il se transforme en Dame.

Rangée
Les cases de l'échiquier qui sont placées horizontalement.

Roi
La pièce la plus importante du jeu. Le but est de capturer et de mater le Roi ennemi.

Roque
Le Roque est une manœuvre défensive qui permet de déplacer en un seul coup le Roi et une Tour de la même couleur. Le Roi se déplace de deux cases vers la Tour qui, à son tour, saute par-dessus le Roi. Le roque s'effectue sur la première rangée juste derrière les pions.

Sacrifice
On emploie ce terme quand on décide de donner volontairement l'une de ses pièces pour attaquer ou mater le Roi adverse.

Stratégie
L'élaboration d'un plan d'attaque à long terme pour gagner la partie.

Tactiques
Moyens techniques immédiats pour mettre en œuvre le plan élaboré dans la stratégie.

Tour
Seule la Dame lui est supérieure. La Tour se déplace d'un seul coup d'une ou plusieurs cases à la fois sur la colonne ou rangée de l'échiquier. Elle peut à tout moment contrôler un maximum de quatorze cases.

« À vous de jouer » : les réponses

Page 13 : La notation
Les Blancs : La Dame est en c1.
Le Fou est en g2.
Le pion est en d4.
Les Noirs : Le Roi est en e8.
Le Cavalier est en b6.
La Tour est en h5.

Page 14 : Les pions
Les pions blancs peuvent capturer le cavalier en d4, le Fou en b4 et le pion en e5.

Page 16 : Les Fous
Le Fou se déplace dans l'ordre suivant :
f6, d8, b6, a5, c3, e1, f2, g3
ou f6, d8, b6, f2, g3, e1, c3, a5

Page 17 : Les Cavaliers
Le Cavalier saute dans l'ordre suivant :
d6, f5, g7, e6, d8, f7
ou d6, f7, d8, e6, g7, f5

Page 18 : Les Tours
La Tour se déplace dans l'ordre suivant :
f5, f3, g3, h3, h7, f7, d7, b7, b4

Page 21 : Le Roi
1. La Tour blanche va en h8 pour donner le mat.
2. Le Fou blanc va en d5 pour donner le mat.
3. La Dame blanche va en c7 pour donner le mat.

Page 25 : Notation supplémentaire
1. Voici les quatre déplacements :
bxa3, Cxg1, g5 et Fd6+

Page 27 : L'ouverture
1a. Le pion va en e4 : c'est un bon coup d'ouverture.
b. Le pion va en h4 : mal joué car le pion se retrouve sur le bord.
c. Le Cavalier en h3 : mal joué – vous déplacez un Cavalier mais vous le placez sur le bord.

2a. Le Fou en b5 : mauvaise manœuvre – vous avez déjà déplacé le Fou.
b. Le Cavalier va en a3 : mauvais coup. Vous déplacez vos Cavaliers mais les mettez sur le bord.
c. Le Pion en d3 : bon coup. Vous placez le pion au centre et dégagez ainsi le Fou en c1.

3a. Le Cavalier en f3 : mal joué. Vous placez le Cavalier au centre mais vous perdez votre pion en e4 par le Fou noir en b7. Il faut toujours essayer de conserver vos pièces.
b. Le pion en e5 : mal joué. Ne déplacez qu'une pièce une fois seulement.
c. Le Cavalier se déplace en c3 : bien joué ! Vous déplacez une nouvelle pièce et protégez votre pion en e4.

Page 31 : Les techniques essentielles
1. Les Blancs peuvent capturer les pièces suivantes :
Cxe3 (1 point), Cxf3 (3 points), Cxg3 (3 points), bxa6 (3points), Cxf6 (5 points), Fxg8 (9 points, c'est aussi la meilleure capture).

2. Dxf5 : mal joué car les Noirs vont capturer avec le pion et les Blancs perdront leur Dame.
gxh4 : bien joué car les Noirs ne peuvent capturer que le pion et les Blancs ont pris un Fou.
Txc7 : un échange égal.
Fxf8 : Les Blancs prennent la Dame noire. Le Roi noir reprendra le Fou blanc mais la différence est de 6 points. Les Blancs ont mieux joué.

3. Les neuf déplacements sans danger pour les Blancs sont :
Dg1, Rg1, Tc3, Ta1, Ca1, De1, Re1, h4, Fb5.

4. Td4 : elle est protégée.
Fxc7 : attention danger !
Td7 : déplacement assez sûr
Fe5 : déplacement assez sûr

Page 32 : L'attaque et la défense
1. Les Blancs peuvent attaquer comme suit :
Fb6 attaque la Tour en d8.
Tc7 attaque le pion en b7.
Tg1 attaque la Dame en g7.
Fh4 attaque la Tour en d8.

2. Les six menaces sont :
Df7 attaque le Fou en e7.
Cf5 attaque aussi le Fou en e7.
Td5 attaque la Dame en c5.
c4 attaque le Cavalier en b5.
Ce4 attaque la Dame en c5.
Df3 attaque la Tour en a8.
Si vous les avez toutes trouvées, bravo !

Page 33 : L'attaque et la défense (suite)
1. Aide : Rg2, Rh2, Tc3
Contre-attaque : Tc7 attaque le Cavalier en b7, Tc8+ échec au Roi en g8.
Déplacement : Cg5 se déplace dans une case protégée par le Fou blanc en d2.
2. Déplacement : reculer De2, De ou en diagonale Db6
Bloquer f4 avec le pion blanc en f2
Contre-attaque : le pion en f4 attaque à la fois le Cavalier en e5 et le Fou en g5 ; Fd5+ échec au Roi en g8.

Page 36 : La fin de partie
1. La meilleure manœuvre pour les Blancs est en Fd7. Au prochain tour, le Fou éliminera le pion en b5 et se fera promouvoir en Dame.
2. Oui, les Blancs doivent capturer la Tour pour être repris. Les Blancs iront ensuite promouvoir leur pion en Dame sur la colonne h.

Page 38 : La partie nulle
Tg3. Il faut que les Noirs capturent au prochain tour la Tour qui met le Roi en échec.
Les Blancs ne pourront plus déplacer leur Roi. C'est le pat.

Index

A

abandon 21
attaque à la découverte
34-35

B

Berger (coup du) 25
but du jeu 12

C

capturer 12, 30
   les Fous 16
   le Roi 20
   les Cavaliers 17
   les pions 14
   la Dame 19
   l'échange 30
   la Tour 18
Carroll, Lewis 14
Cavaliers 10, 17
   capture 17
   fourchette 34
   déplacement 17
   notation 13
   ouverture 26
   position de départ 11
   force 23
   valeur 30
Championnat des Échecs pour
les moins de 18 ans au Royaume-
Uni (*voir UK Chess Challenge*)
chronomètre 32
clouage 35
clubs d'échecs 40
colonnes 10
colonnes ouvertes 28
colonnes semi-ouvertes 28
coup du Berger 25

D

Dame 10, 19
   capture 19
   déplacement 19
   notation 13
   ouverture 28

position de départ 11, 19
   échec de Dame 37
   force 23
   valeur 30
défense 33
déplacements ou coups ambigus
   24
diagonales 10

E

échec 21
   et roquer 22
   notation 24
échec chinois 9
échec de Dame 37
échec et mat 12, 20, 21
   fin de partie 36-37
   notation 24
échec perpétuel 39
échiquier 10-11
   notation 13
   mettre les pièces sur
   l'échiquier 11
éléphants 16
en passant 15

F

fin de partie 36-39
Fisher, Bobby 9
fourchette ou attaque double 34
Fous 10
capture 16
   déplacement 16
   notation 13
   ouverture avec le Fou 16

position de départ 11
force 23
valeur 30

H

histoire 9

I

Inde 9
Internet 41

J

jeux homologués 32

K

Karpov, Anatoly 41
Kasparov, Garry 38, 41
Kieran, Rosalind 8

M

mat de Boden 25
mat du sot 23
mater *voir échec et mat*
menaces 32-33
micro-ordinateur 41
milieu de partie 30-35

N

notation 13, 24-25

O

Olympiades des Sports Mentaux
40

P

partie nulle 38-39
pat 38
pendules 32
Perse 9, 20
pièces 10-11
   notation 13
   position de départ 11
pièces de Staunton 10
pions 11, 14-15
   capture 14
   en passant 15
   et Roi 23
   notation 13
ouverture 26
position de départ 11
promotion 15

promotion en Dame 36
valeur 30
Polga, Susan, Sofia, Judith 9
promotion 11, 13, 15
fin de partie 36
notation 24

R

rangées 10
Roi 10, 20-23
   capture 20
   roquer 22, 27
   échec 21
   échec et mat 20, 21
   déplacement 20
   notation 13
   et ses pions 23
   position de départ 11
   mat de la Dame 37
   abandon 21
   valeur 30
   roque en aile-roi 22
roquer 18, 22
   notation 24
   ouverture 27, 28
   roquer aile-Dame 22
   roquer aile-Roi 22

T

tactiques 34-35
   attaque à la découverte 34-35
   attaque double ou fourchette
   34
tournois 40
   clouage 35
Tours 11, 18
   capture 18
   roque 18, 22, 28
   déplacement 18
   notation 13
   ouverture 28
   position de départ 11
   force 23
   valeur 30

U

UK Chess Challenge 8, 40
(Championnat des Échecs pour
les moins de 18 ans au Royaume-
Uni)

Adresses utiles

Fédérations

Fédération Française des Échecs
3, place Jean-Jaurès, BP 2022
34024 Montpellier Cedex 01
Tél. 04 67 60 02 20
Fax 04 67 60 02 25

Fédération Suisse des Échecs
c/o Ruedi Staechelin
Hirslandweg 16
4144 Arlesheim
Suisse
Tél. (41) 61 701 80 50
Fax (41) 61 701 81 77

FIDE (Fédération Internationale des Échecs)
9, Avenue Beaumont
1012 Lausanne 4
Suisse
Tél.(41) 310 39 00

Fédération Belge des Échecs
c/o Dirk De Ridder
August van de Wielelei 303 b3
2100 Deurne
Belgique
Tél. (32) 3 327 91 94
Fax (32) 477 268 112

Fédération Canadienne des Échecs
E1-2212 Gladwin Crescent, Unit E-1
Ottawa, ONT K1B 5N1
Canada
Tél. (1) 613 7332844
Fax (1) 613 7335209

Fédération Québécoise des Échecs
Organisme sans but lucratif voué à la promotion du jeu d'échecs au Québec
C.P. 640, succursale C
Montréal (Québec) H2L 4L5
Tél. (514) 252-3034
Fax (514) 251-8038
Courriel : echecs@loisirquebec.qc.ca

Sites Internet d'informations et d'actualités

Europe-Échecs
www.europe-echecs.com

Fédération Française des Échecs
www.echecs.asso.fr
Sur ce site, vous trouverez les coordonnées de la ligue de votre région.

Fédération Québécoise des Échecs
www.fqechecs.qc.ca

Fédération Internationale des Échecs
www.fide.com

Sites Internet où l'on peut jouer en direct aux échecs
Kasparov
www.kasparovchess.com

Bobby Fisher
www.rio.com/~johnnymc/index.html

World Chess Network
www.worldchessnetwork.com

Zone Jeux
www.zonejeux.com

Remerciements

L'éditeur remercie Caroline Greene, Amanda Rayner, Lee Simmons, Penny York, Jacqueline Gooden, Tory Gordon-Harris, Rebecca Johns, Tassy King, Hilary Bird et Giles Powell-Smith.
Pour l'édition française, l'éditeur remercie Vanessa Kidd pour la traduction, Joëlle Mourgues de la Fédération Française des Échecs pour sa relecture et ses conseils et Michelle Trazic pour les corrections.

Photographies
L'éditeur souhaite remercier les personnes et sociétés suivantes pour leur aimable autorisation de reproduction des photographies :
d-dessus, c-centre, b-bas, g-gauche, d-droite, h-haut.
AKG London : 22hd. **Allsport :** Chris Cole 38hd, John Gichigi 40b. **Michael Basman :** 8cg, 8cd, 40hd. **Bridgeman Art Libary, Londres/New York :** 12hd, 20hd ; Royal Asiatic Society, Londres 9hd. **Camera Press :** 9cd. **Christie's Images Ltd 1999 :** 9cl. **Mary Evans Picture Library :** 14hd. **Mark Huyba :** 9bg, 41hd, 41cg. **Hulton Getty :** 24hd. **Rex Features :** 9cd, 9bg ; Tony Kyriacou 41 cgb. **Telegraph Colour Library :** Peter Adams 18hd.

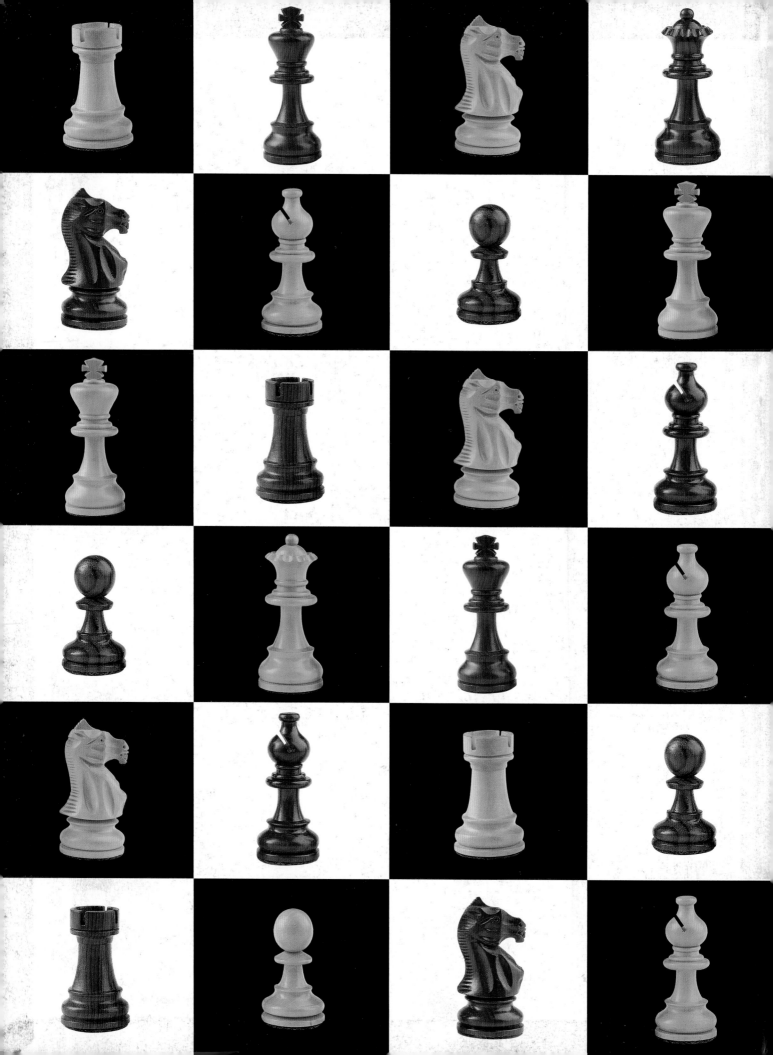